LIESBETH PASSOT-KANBIER

Montmartre
secret

PARIGRAMME

À PIERRE.

Remerciements

Je remercie toutes celles et ceux qui ont contribué à la réalisation de cet ouvrage et m'ont généreusement apporté leur aide. Ma gratitude va tout particulièrement à Edmond Bonnefoy, Micheline et Pierre Gautier, Pierre-Mic Haas, Jacques Hiver, Yves et Vincent Mathieu du Lapin Agile, Pierre Minelle, le musée de Montmartre, Robert Philippe du Vieux Chalet, Danièle Rousseau, Père Alain Steiger, curé de l'église Saint-Jean-de-Montmartre et Rodolphe Trouilleux.

Acknowledgments
Many people contributed to this book and very generously gave their time, assistance, and advice. I would like to extend special thanks to Edmond Bonnefoy, Micheline and Pierre Gautier, Pierre-Mic Haas, Jacques Hiver, Yves and Vincent Mathieu of the cabaret Le Lapin Agile, Pierre Minelle, Le Musée de Montmartre, Robert Philippe of Le Vieux Chalet, Danièle Rousseau, Father Alain Steiger of the church of Saint-Jean-de-Montmartre, and to Rodolphe Trouilleux.

Wandering aimlessly through the steep streets and narrow lanes of Montmartre, it seems paradoxical that this much-visited Paris favorite should lend itself so pleasantly to solitary walks.
Enchantment awaits us at every corner. Is it the simple effect of a serene walk through village streets, seemingly untouched by time? Indeed, it is, but yet another diffused sentiment comes into play: that of moving through a decor rich in history. Martyrs' hill, to give the literal translation of its name, has been inhabited for endless ages, not only by men but also by gods. The Romans built a temple at its crest. In the Middle Ages, Montmartre became an important destination for pilgrimages. Gatherings and processions of the less spiritual type have marked the hill's history also. The bloodiest occurred during the Commune rebellion, whereas the most festive occurred back when Parisians began to flock to the numerous "guinguettes" of this village then nestled in vineyards. Artists, writers, and musicians found the place very much to their taste, and they moved in. In the decades preceding the First World War, Montmartre experienced a literary and pictorial effervescence, which gave birth to major works of art, bringing world fame to the area.
This legendary Montmartre is an inseparable facet of the peaceful village whose squares, alleyways, and stairs touch us so. Its mute yet eloquent presence invites us to plunge deeper into the heart of intimate, secretive Montmartre.

En arpentant sans but précis le pavé montmartrois, le promeneur s'amuse du paradoxe qui veut que ces lieux très visités soient aussi le cadre privilégié de promenades solitaires, sources d'enchantement à chaque coin de rue. Est-ce le simple effet d'une déambulation sereine dans des ruelles de village sur lesquelles le temps ne semble pas avoir de prise ? Certainement. Mais il s'y ajoute le sentiment diffus d'évoluer dans un décor habité par l'histoire. Habitée, la colline le fut à plus d'un titre ; par les hommes, très tôt, et surtout par les dieux. Les Romains construisirent un temple en son sommet et, dès le Moyen Âge, Montmartre devint un haut lieu de pèlerinage. Il y eut aussi des rassemblements et des processions d'un genre moins spirituel ; plus sanglants, durant la Commune, ou plus festifs quand les Parisiens découvrirent les nombreuses guinguettes de ce village entouré de vignobles. Artistes, écrivains et musiciens trouvèrent l'endroit à leur goût et s'y installèrent. Jusqu'à la Première Guerre mondiale, Montmartre vécut une effervescence littéraire et picturale qui donna naissance à des œuvres majeures dont la renommée a fait, depuis, le tour du monde. Ce Montmartre de légende est indissociable du paisible village dont les places, les venelles et les escaliers nous émeuvent tant. Sa présence muette et pourtant si éloquente nous invite à plonger davantage encore au cœur d'un Montmartre intime, d'un Montmartre secret.

Ci-contre *(On the left)* :
Rue du Chevalier-de-la-Barre.

Rue Foyatier.

Le chemin de lumière, rue du Chevalier-de-la-Barre.
The "star way," Rue du Chevalier-de-la-Barre.

En avant... marche !

Fuyant vers le ciel, les escaliers de Montmartre scandent le paysage de leurs stries régulières. À la manière des vieux montagnards, le flâneur en entreprend l'ascension posément, par souci d'économiser ses forces... et sans se départir d'une certaine gravité ; la promesse de contempler la vastitude du panorama est un bonheur qui se médite par avance. Notre promeneur, tout à son effort, sait-il qu'il arpente une bulle de gypse posée sur le plateau calcaire de Saint-Ouen ? Les Romains, déjà, fouillèrent les flancs de la colline pour en extraire le matériau nécessaire à leurs constructions. Ils furent imités par bien d'autres, qui creusèrent des galeries souterraines quand l'exploitation à ciel ouvert ne fut plus possible. Comme on s'en doute, cet inlassable travail de sape a été la source de bien des désordres en surface où les affaissements plus ou moins prononcés du sol firent danser fenêtres, portes et corniches sur les façades. Les entrailles de la Butte ont tant alimenté les chantiers parisiens qu'on a pu dire qu'il se trouvait « davantage de Montmartre dans Paris que de Paris dans Montmartre » ! Mais Montmartre ne se résume pas à un sous-sol ; c'est aussi un horizon. D'ici, lors du siège de Paris de 1870, s'envola Gambetta à bord du ballon L'Armand-Barbès pour franchir les lignes prussiennes. Sur les mêmes hauteurs, Claude Chappe établit le premier télégraphe en 1794.

Rue Foyatier.

One step at a time!

The stairs of Montmartre flee upwards toward the sky, marking the cityscape with their regular furrows. Like wise mountaineers, visitors begin their ascent calmly and cautiously conserving their energy. The anticipated joy of contemplating the vast panorama sets their feet and hearts in motion. As they toil up the hill, do they realize that they are on a geological bubble of gypsum which sits atop the limestone Saint-Ouen plateau? The Romans did. They quarried the hillsides to extract building materials. Once open-air quarrying was no longer possible, later generations dug underground galleries. Predictably enough, their untiring efforts sapped the very foundations of the mount, causing today's many woes on the surface. The ground buckles; façades crackle; windows, doors, and cornices seem to sway. The entrails of the Butte have contributed so much to Paris construction projects, they gave rise to the adage, "There is more Montmartre in Paris, than Paris in Montmartre." However, Montmartre is far more than a substratum; it is also a horizon. During the siege of Paris in 1870, it was from here that Paris legislator Léon Gambetta daringly floated into the air aboard the Armand-Barbès, a hot air balloon, and successfully crossed Prussian lines. On these same heights, Claude Chappe set up the first telegraph in 1794.

Rue Drevet.

Rue du Calvaire.

Ci-contre : Arrivée place du Tertre par la rue Norvins.
On the left: Rue Norvins towards the Place du Tertre.

Place du Calvaire.

Le cœur de Montmartre

La place du Tertre, la plus ancienne de Montmartre, est aussi le centre
du village depuis une dizaine de siècles, où l'on dressait, au temps de
l'Abbaye d'en Haut, la sinistre potence de justice. Aujourd'hui au cœur de
l'animation touristique, la place révèle pleinement sa beauté en hiver aux
audacieux qui n'hésitent pas à affronter les rigueurs du petit matin.
Non loin, la place Jean-Baptiste-Clément honore l'auteur du fameux *Temps
des cerises*. N'est-ce pas l'ombre furtive d'un peintre maudit qui se profile aux
alentours du n° 7 ? Modigliani loua ici une remise en guise d'atelier en 1906.
Plus bas, la place Blanche, même si elle n'est plus sillonnée par les carrioles
acheminant le plâtre montmartrois vers Paris, n'a pas perdu toutes ses
couleurs... Moulin-Rouge oblige ! Un familier des lieux, Henri de Toulouse-
Lautrec, fréquentait aussi avec assiduité les cafés de la place Pigalle où il
recrutait ses modèles.

The heart of Montmartre

*The most ancient of Montmartre squares, the Place du Tertre has been the village
center for centuries, where the sinister gallows were set up in the days of the
Abbaye d'en Haut (the high abbey). Today, the Place du Tertre, the focus of
tourist activity, reveals its medieval beauty to those willing to confront the rigors
of early winter mornings.*
*Nearby, the Place Jean-Baptiste-Clément honors the poet best known for his love
song* Le Temps des cerises *(The Cherry Season). And, oh, could that be the
furtive shadow of a cursed painter lurking about the house at number 7?
Modigliani rented a studio there in 1906. Further down is the Place Blanche,
where Montmartre plaster is no longer carted downhill into Paris, but thanks to
the Moulin Rouge, it's a very colorful place! Toulouse-Lautrec was a Moulin Rouge
regular but also frequented the cafés on the Place Pigalle where he recruited
many models.*

À l'angle de la rue Paul-Albert
et de la rue Muller.

*The corner of Rue Paul-Albert
and Rue Muller.*

13

Place du Tertre.

AUTOMOBILE CLUB DE L'ILE DE FRANCE
AUTOMOBILISTES RALENTISSEZ
ATTENTION AUX
PETITS POULBOTS

Ci-contre :
Place du Tertre,
l'église Saint-Pierre-
de-Montmartre
et la basilique du
Sacré-Cœur.

On the right:
Place du Tertre,
Saint-Pierre-de-
Montmartre church
and the Basilica of
Sacré-Cœur.

Place du Tertre.

L'entrée du Sacré-Cœur.
*The entrance gate of the
Sacré-Cœur.*

Parvis du Sacré-Cœur.
Square of the Sacré-Cœur.

Le Bateau-Lavoir,
place Émile-Goudeau.
The Bateau-Lavoir,
Place Émile-Goudeau.

Théâtre de l'Atelier,
place Charles-Dullin.

Arrivée place du Tertre
par la rue Norvins.
*Rue Norvins towards
the Place du Tertre.*

Le manège du square
Willette.

*The merry-go-round,
Square Willette.*

Square Willette.

Terrains de jeux

Montmartre n'est sans doute pas le quartier le plus vert de Paris ; a-t-on besoin d'un jardin quand le ciel vous appartient ? Cependant, il se trouve quand même quelques squares et jardins secrets très appréciables. Le plus vaste déroule ses pelouses et ses escaliers au pied du Sacré-Cœur : le square Willette porte le nom du célèbre peintre et dessinateur montmartrois qui créa l'enseigne du fameux cabaret du XIXᵉ siècle, Le Chat Noir. Quelques rues plus loin, on quitte la ville pour la campagne en pénétrant dans le square Suzanne-Buisson, taillé dans l'ancien parc du Château des Brouillards. La même sérénité villageoise émane du charmant petit jardin du musée de Montmartre, rue Cortot. Sur le versant nord de la Butte, de modestes vestiges de l'ancien « maquis » – à l'époque une zone d'habitations de fortune et de jardins sauvages – se cachent entre l'avenue Junot et la rue Lepic pour le plus grand bonheur des amateurs de pétanque.

Playgrounds

Montmartre may not be the greenest part of modern-day Paris, but who needs gardens when the sky is all yours? Nevertheless, there are several squares and secret gardens tucked away here and there. The most expansive lawns roll downward from the Sacré-Coeur basilica to the Square Willette, named after the famous Montmartre artist who created the sign for the 19th-century cabaret, Le Chat Noir. A few streets away, we leave the city for country pleasures as we enter the Square Suzanne-Buisson, part of the former Château des Brouillards estate. The same village-like serenity can be found in the charming little garden of the Montmartre Museum on the Rue Cortot. On the north side of the Butte, you will find a few vestiges of the "maquis" – once a slum of ramshackle huts and scrubland tucked between the Avenue Junot and the Rue Lepic, these gardens are now a favorite haunt of boules enthusiasts.

Square Willette.

Square Jehan-Rictus.

Square Suzanne-Buisson.

La réserve d'oiseaux
de la rue Saint-Vincent.
The bird reserve,
Rue Saint-Vincent.

Le terrain de jeu de boules,
avenue Junot, dans le "maquis".

*The boules ground, Avenue Junot,
in the "maquis."*

Place Constantin-Pecqueur.

La vigne lors de la Fête des vendanges.
The vineyard during harvest festivities.

La vigne et le vin

La vigne fait partie de l'histoire de Montmartre mais aussi de son folklore. Le clos de vigne de la rue des Saules a été planté en 1933 par quelques artistes et figures de Montmartre, Francisque Poulbot en tête. Exposée au nord, la vigne de Montmartre ne bénéficie certes pas de l'ensoleillement digne d'un grand cru mais sa présence perpétue le souvenir des plus vastes vignobles que l'on cultivait déjà au Moyen Âge sur les pentes de la Butte. Les vendanges sont chaque année l'occasion d'une fête champêtre après que le raisin a été religieusement transporté dans les caves de la mairie du 18e arrondissement pour produire quelques centaines de bouteilles.

Vines and wines

Vineyards have long been part of Montmartre history, but also part of its folklore. The enclosed vineyard off the Rue des Saules was planted in 1933 by several artists and well-known Montmartre residents, led by Francisque Poulbot. With its northern exposure, Montmartre's vineyard hardly receives the sunshine that makes great wines. Yet, the vineyard's very presence perpetuates the memory of the vast illustrious vineyards that graced the slopes of the Butte during the Middle Ages. The harvest is an annual, quasi-bucolic festival. The grapes are ceremoniously carried into the cellars of the district's city hall for fermentation. Thus, Montmartre produces a few hundred bottles of wine annually.

Petits poulbots.
Little "poulbots" – Montmartre kids.

Dans la vigne de Montmartre.
In Montmartre's vineyard.

Plaque à la mémoire
de Francisque Poulbot,
dans les vignes.

*Commemorative plaque
for Francisque Poulbot,
in the vineyard.*

Le clos de vigne de la rue des Saules.
The vineyard, Rue des Saules.

La tombe d'Émile Zola.
Emile Zola's memorial monument.

La tombe d'Offenbach.
Offenbach's memorial monument.

Le cimetière de Montmartre.
Montmartre cemetery.

Le cimetière de Montmartre.
Montmartre cemetery.

Dormez en paix

Il y a trois cimetières à Montmartre. Le plus secret est celui de l'église Saint-Pierre qui n'est accessible au public qu'une fois par an, le jour de la Toussaint. Il abrite les tombes de personnalités montmartroises, celle du sculpteur Jean-Baptiste Pigalle et celle du navigateur Louis-Antoine de Bougainville. Le plus modeste est sans doute le petit cimetière Saint-Vincent bien qu'y reposent des gloires du monde des lettres et des arts : Aymé, Dorgelès, Boudin, Steinlen, Utrillo... Le plus vaste est le cimetière de Montmartre, situé sous le pont de la rue Caulaincourt. Il a été ouvert à l'emplacement d'anciennes carrières de gypse et comprend aujourd'hui vingt-deux mille sépultures. Parmi les anonymes ou ceux dont on a tout oublié, le promeneur relève des noms célèbres : Stendhal, Heine, Berlioz, Offenbach, Guitry, Jouvet, Dalida, Truffaut...

Rest in peace

Montmartre has three cemeteries. The most secret is next to the church of Saint-Pierre, open to the public once a year only on All Saints' Day. Major figures of Montmartre's past are buried here: the sculptor Pigalle and the navigator Bougainville. The most humble is certainly the tiny Saint-Vincent cemetery where giants of French culture have been laid to rest: Aymé, Dorgelès, Boudin, Steinlen, Utrillo, and so many others. The largest, Montmartre cemetery, is spanned by the Rue Caulaincourt bridge. Laid out on former gypsum quarries, today, this graveyard counts some 22,000 tombstones. Resting beside the anonymous and the forgotten are the legendary Stendhal, Heine, Berlioz, Offenbach, Guitry, Jouvet, Dalida, and Truffaut.

Le cimetière de Montmartre.
Montmartre cemetery.

ÉE UTRILLO, V.
IE UTRILLO

La tombe de Maurice Utrillo,
au cimetière Saint-Vincent.

*Tomb of Maurice Utrillo,
in the Saint-Vincent cemetery.*

Cimetière Saint-Vincent.
Saint-Vincent cemetery.

Ci-contre :
L'église Saint-Pierre et son
cimetière, vus du Sacré-Cœur.

On the left:
Saint-Pierre and its churchyard,
seen from the Sacré-Cœur.

Tombe de la famille des meuniers
Debray, cimetière Saint-Pierre.

Tomb of the miller family Debray,
Saint-Pierre cemetery.

L'église Saint-Pierre, vue des toits du Sacré-Cœur.
Saint-Pierre church, seen from the roofs of the Sacré-Cœur.

À l'ombre des clochers

Colline inspirée dès qu'elle fut habitée, Montmartre aurait abrité un temple dédié à Mars et à Mercure dans le cours du Ier siècle. Le nom même de la Butte dériverait d'appellations anciennes : « Mons Martis » (mont de Mars) converti en « Mons Martyrum » quand on voulut faire oublier le culte païen. Denis, premier évêque de Paris, arrêté par les soldats romains, aurait en effet subi ici avec ses compagnons le martyre de la décapitation. Selon la légende, saint Denis aurait repris sa route en portant sa tête pour descendre le versant nord de la Butte. L'église Saint-Pierre est l'une des plus anciennes de Paris ; elle faisait partie de la puissante abbaye de Montmartre et fut menacée à différents moments de son histoire. On évoqua encore sa démolition en 1910 comme on trouvait qu'elle masquait la vue sur le Sacré-Cœur dont la construction s'achevait. Ce furent des artistes de Montmartre, paradoxalement peu réputés pour leur dévotion, qui sauvèrent l'église de la pioche.

Né dans des conditions tumultueuses, le Sacré-Cœur s'inscrit désormais familièrement dans le ciel parisien ; basilique de pèlerinage, ce sanctuaire est voué depuis sa consécration en 1919 à l'adoration perpétuelle.

Les pieds du Christ du calvaire de l'église Saint-Pierre.
The feet of Christ on the Calvary behind Saint-Pierre church.

Détails des toits du Sacré-Cœur.
Details of the roofs of the Sacré-Cœur.

Beneath the bell towers

This hill has always been a source of inspiration. Montmartre likely had a temple dedicated to Mars and to Mercury in the mid-first century. Its name is probably derived from the Latin "Mons Martis" (the mount of Mars), neatly altered to "Mons Martyrum" (martyrs' mount) when pagan cults were being wiped out. Denis, the first bishop of Paris, was arrested by Roman soldiers and, along with his companions, suffered martyrdom here by decapitation. According to legend, Saint Denis picked up his head and continued walking until he reached the north slope of the Butte.

The church of Saint-Pierre, one of the oldest in Paris, belonged to the powerful abbey of Montmartre, and faced destruction at several points in history. The most recent threat came in 1910 when the church was considered a blight on the new Sacré-Cœur basilica, then nearing completion. Paradoxically, the smaller church was saved by rowdy Montmartre artists, hardly known for their religious devotion. Despite its tumultuous origins, the sparkling white Sacré-Cœur is now a familiar landmark on the Paris skyline. Consecrated in 1919, it draws pilgrims from the world over, and has a permanent cult of the Sacred Heart.

La statue de saint Michel ornant le Sacré-Cœur.
The statue of Saint Michael in front of the Sacré-Cœur.

Le Sacré-Cœur.

Statuette, rue du Mont-Cenis.
Statue in Rue du Mont-Cenis.

Le couvent des carmélites,
rue du Chevalier-de-la-Barre.

*The Carmelite convent,
Rue du Chevalier-de-la-Barre.*

L'église Saint-Jean-de-Montmartre,
place des Abbesses.

Saint-Jean-de-Montmartre church,
Place des Abbesses.

L'angle de la rue Lepic et de la rue de la Mire.
The corner of Rue Lepic and Rue de la Mire.

Sur le pavé

Amateurs de lignes droites et d'avenues tirées au cordeau, passez votre chemin ! Les rues de Montmartre préfèrent la sinuosité, le décrochement, l'inflexion, le détour qui vaut toujours la peine. En échange de leurs caprices, elles ne perdent pas une occasion d'offrir des aperçus inattendus ou des perspectives saisissantes. Le plus souvent épargnées par les revêtements bitumés qui sont l'uniforme de leurs consœurs parisiennes, elles scintillent sous le soleil et s'irisent à la première pluie ; les pavés, ces miroirs du ciel, sont l'âme des rues.

On the cobblestones

Lovers of straight lines and rectilinear thoroughfares should look elsewhere. The winding, twisting, narrow streets of Montmartre delight those who prefer detours and surprises. In exchange for their caprices, these lanes never miss the opportunity to offer us dazzling views and perspectives. Rarely are they uniformly covered in asphalt like their sister streets throughout the rest of the capital. Their pavement sparkles in the sunlight and becomes iridescent in the morning rain. Cobblestones, mirrors of the heavens, are the very soul of Montmartre streets.

Rue Norvins.

Rue Norvins.

La boulangerie de la rue Norvins.
The bakery, Rue Norvins.

Rue Norvins.

La maison du commandant Lachouque,
rue de l'Abreuvoir.
Commandant Lachouque's house,
Rue de l'Abreuvoir.

Rue Saint-Rustique.

Angle de la rue Lepic et
de la rue Joseph-de-Maistre.
*The corner of Rue Lepic
and Rue Joseph-de-Maistre.*

Café, rue Lepic.

Plaque à la mémoire de Vincent
Van Gogh, rue Lepic.
*Commemorative plaque for
Vincent Van Gogh, Rue Lepic.*

L'épicerie de la rue
des Trois-Frères.
*The grocery shop,
Rue des Trois-Frères.*

Rue Poulbot.

Rue André-Antoine.

Rue du Chevalier-de-la-Barre.

Rue Gabrielle.

Rue Caulaincourt.

Place
Émile-Goudeau.

Rue Saint-Vincent

Rue Saint-Vincent.

Rue d'Orchampt.

Hôtel de l'Escalopier,
impasse Marie-Blanche.

Rue Saint-Éleuthère.

Ci-contre :
La "cour aux juifs",
rue Durantin.

On the right:
"The yard of the Jewish,"
Rue Durantin.

Cité Véron, boulevard de Clichy.

Cités, villas et impasses

Combien sont-elles, ces enclaves merveilleuses dont les habitants chanceux goûtent quotidiennement le charme et la paix ? Aux dernières nouvelles, le décompte ne serait pas terminé ! Cité Véron, Boris Vian et Jacques Prévert faisaient terrasse commune au n°6 bis. Ouvrant sur le même boulevard de Clichy, la Villa des Platanes, mariant briques et pierre, affiche une respectabilité bourgeoise de bon aloi. Au fond de l'impasse Marie-Blanche, la fantaisie d'un antiquaire du XIXᵉ siècle a légué à la postérité une folie néogothique délirante. Sur les hauteurs, la bien jolie Villa Léandre prend des airs britanniques. Dans la cité d'artistes de la rue Norvins, la nature a repris ses droits... Chics ou plus populaires, ces îlots préservés se visitent instinctivement sur la pointe des pieds.

Courts, circles, lanes and dead-end loops

How many delightful enclaves are there whose lucky residents get to daily enjoy their charms? The last we heard, the tally had not been completed. Novelist Boris Vian and poet Jacques Prévert shared a common terrace at no 6-bis Cité Véron, just off the Boulevard de Clichy. On the same boulevard is the respectably bourgeois Villa des Platanes, not a street, but a brick and stone building.
At the end of the Impasse Marie-Blanche, an imaginative 19th-century antique dealer left for posterity a surreal Neo-Gothic townhouse. Higher up the hill, the pretty Villa Léandre has a rather British air. Nature seems to have reclaimed the artists' colony of the Rue Norvins. Straying visitors instinctively tiptoe their way around these carefully preserved havens of peace.

Villa Léandre.

Impasse du Tertre.

Villa des Platanes.

Cité du Midi.

Moulin de la Galette, rue Lepic.

Les ailes du passé

Au temps de Henri IV, il ne se serait pas trouvé moins de quatorze moulins sur la colline de Montmartre. Deux seulement répondent aujourd'hui à l'appel. Enclavé dans le domaine du Moulin de la Galette, le plus ancien, le Blute-Fin, domine la rue Tholozé vers le sud ; on peut aussi l'apercevoir, par la face nord, de l'avenue Junot. À ses côtés s'élève la Mire du Nord, placée sur le trajet du méridien de Paris. Actuellement à l'angle des rues Lepic et Girardon, le Radet est un moulin itinérant dont la carrière a commencé en 1717 sur une propriété située entre la rue Norvins et la rue de l'Abreuvoir. Un de ses principaux titres de gloire est d'avoir le premier supporté l'enseigne, devenue fameuse, du bal du Moulin de la Galette. Des hauteurs, les deux rescapés peuvent contempler les courtes ailes du Moulin-Rouge, ouvert en 1889, dont la réputation cabaretière ne saurait, à leurs yeux, masquer l'imposture !

La Mire du Nord, dans le jardin privé du Moulin de la Galette.
Meridian landmark in the private garden of the Moulin de la Galette.

Le moulin Blute-Fin, Moulin de La Galette.
The Blute-Fin mill, Moulin de La Galette.

Wings of the past

During the reign of King Henri IV, there were no less than fourteen windmills ("moulin" in French) on the flanks of Montmartre. Today, only two remain. Sandwiched within the estate of the Moulin de la Galette, the elder of the two, is the Blute-Fin mill, overlooking the Rue Tholozé to the south. Further north, one can catch a glimpse of it from the Avenue Junot. Beside it, the Mire du Nord marks the meridian of Paris. Currently at the corner of Lepic and Girardon,

Le Radet is a traveling mill. It began its career in 1717 on the estate situated between the Rue Norvins and the Rue de l'Abreuvoir. One of its main claims to fame is having sported the sign of the famous Moulin de la Galette dance hall. From their lookout positions on the hill, these two stalwart survivors contemplate the clipped wings of the Moulin Rouge, opened in 1889. The cabaret's architectural design is a thin disguise for the imposture!

Le Passe-muraille,
sculpture de Jean Marais,
place Marcel-Aymé.

The Man Who Could
Pass Through Walls,
sculpture of Jean Marais,
Place Marcel-Aymé.

Statue, rue du Mont-Cenis.

Pour l'éternité

Les statues de Montmartre, souvent d'une qualité rare, immortalisent certains des habitants illustres de la Butte. Beaucoup d'entre elles ont malheureusement disparu pendant la dernière guerre, fondues par l'occupant pour être converties en canons. Seule la pierre n'était pas sujette à ce genre d'outrage. Il reste aux amateurs de promenades le nez en l'air, le plaisir de découvrir d'innombrables bas-reliefs, petits chefs-d'œuvre anonymes accrochés aux façades des immeubles.

For all eternity

The statues of Montmartre, often of a rare quality, immortalize certain illustrious inhabitants of the Butte. Unfortunately, a great many of these statues vanished during the last war. They were melted down by the occupying forces to be converted into cannons. Only stone statues escaped this wartime humiliation. If you enjoy strolling with your nose in the air to admire façades as you go by on your merry way, you'll discover innumerable delights in bas-relief. Anonymous masterpieces!

73

Le "rocher de la sorcière",
passage M18, dans le "maquis".

The Witch's Rock, Passage M18
in the "maquis."

Le Christ sur la façade du Sacré-Cœur.
Christ on the façade of the Sacré-Cœur.

Rue André-Antoine.

Monument en hommage à Steinlen,
place Constantin-Pecqueur.

Monument to the memory of Steinlen,
Place Constantin-Pecqueur.

Monument en hommage à Eugène Carrière,
place Constantin-Pecqueur.

Monument to the memory of Eugène Carrière,
Place Constantin-Pecqueur.

Statue de saint Denis,
square Suzanne-Buisson.
Statue of Saint Denis,
Square Suzanne-Buisson.

Le Lapin Agile, le plus vieux cabaret de Paris.
Le Lapin Agile, the oldest cabaret in Paris.

Cabarets et music-halls

Où pouvait mieux souffler l'esprit moqueur et rebelle de Montmartre que dans ses cabarets ? Depuis le milieu du XIXe siècle, ces repaires ont attiré poètes, musiciens, écrivains, journalistes, caricaturistes et peintres de tous poils qui aimaient discuter de sujets littéraires ou artistiques dans la bonne humeur. Mais les bourgeois vinrent aussi se divertir dans les cabarets comme Le Chat Noir ou Le Néant, dans les music-halls et les théâtres... parfois à leurs risques et périls, comme au Mirliton où Aristide Bruant n'hésitait pas à accueillir ses « cochons de clients » par une sonore apostrophe : « oh, c'te gueule, c'te binette ! » On en redemandait.

Cabarets et music-halls ont aujourd'hui disparu ou changé de formule comme L'Élysée-Montmartre ou Le Trianon ; il n'en demeure qu'un seul, Le Lapin Agile, où les veillées se déroulent comme à la grande époque de la bohème.

Cabarets and music halls

"Tous les clients sont des cochons..." (Pigs! All our clients are pigs!")
The crass, mocking, rebellious, spirited Montmartre attitude found its best expression in the cabarets on the Butte. Beginning in the mid-19th century, these dens of iniquity attracted poets, musicians, writers, journalists, caricaturists, and painters of all stripes who would flock to the convivial tables to discuss literature and art. The bourgeois also pushed the doors in search of entertainment at Montmartre dance halls, theaters, and cabarets such as

Le Chat Noir and Le Néant. They often braved volleys of insults as they entered clubs like Le Mirliton where Aristide Bruant belted out his greetings and berated the clientele, calling them filthy pigs. The audience lapped it up!
Most cabarets and music halls have disappeared. Yesteryear's famed venues like the Élysée-Montmartre and Le Trianon have changed clienteles and offerings. Only one real cabaret maintains the tradition of the great epoch of la bohème. It is Le Lapin Agile. Pure poetry!

Arènes de Montmartre,
rue Saint-Éleuthère.

*Amphitheater,
Rue Saint-Éleuthère.*

Théâtre Montmartre-Galabru,
rue de l'Armée-d'Orient.

L'Élysée-Montmartre, boulevard de Rochechouart.

Le Moulin-Rouge,
place Blanche.

L'entrée des artistes du
Moulin-Rouge, rue Lepic.
The backstage entrance of the
Moulin Rouge, Rue Lepic.

Ciné Théâtre 13, rue Girardon.

De haut en bas :
Studio 28, rue Tholozé.
Les anciens studios Pathé,
rue Francœur.

From top to bottom:
Studio 28, Rue Tholozé.
Former Pathé Studios, Rue Francœur.

Château des Brouillards, allée des Brouillards.

Ateliers d'artistes

Lieu de vie, d'inspiration et de travail, l'atelier fait partie du paysage montmartrois. Combien de fulgurances créatrices, d'œuvres aujourd'hui mondialement célébrées sont-elles nées dans l'anonymat d'une pièce banale coiffée d'une verrière ? Le plus fameux de ces ateliers fut sans doute le phalanstère d'artistes qu'était le Bateau-Lavoir, place Émile-Goudeau, malheureusement détruit par un incendie en 1970. Max Jacob, Amedeo Modigliani, Juan Gris, Kees Van Dongen, Pablo Picasso et bien d'autres y séjournèrent ; c'est ici que Picasso conçut les *Demoiselles d'Avignon*, œuvre phare du cubisme.

Rue Norvins, un jardin sauvage fait un écrin de verdure aux ateliers de la Cité des Artistes. Villa des Arts, rue Hégésippe-Moreau, résidèrent de nombreux peintres, dont Paul Signac et Paul Cézanne. Plus loin et plus tard, rue Ordener, dans le cours des années trente, fut construite la cité "Montmartre aux Artistes", dont la belle façade de briques est percée de vastes verrières.

La maison de Poulbot, avenue Junot.
The house of Poulbot, Avenue Junot.

Villa des Arts, vue de la rue Ganneron.
Villa des Arts, seen from Rue Ganneron.

Artists' ateliers

Living quarters, working quarters, and fountains of inspiration, artists' ateliers belong to the Montmartre landscape. How many world-famous creations were conceived in anonymous, simple studios, under glass roofs filtering the light of day? The best known of these ateliers was undoubtedly the Bateau-Lavoir art community, located on Place Émile-Goudeau, and most unfortunately ravaged by fire in 1970. Max Jacob, Amedeo Modigliani, Juan Gris, Kees Van Dongen, Pablo Picasso and many others plied their trade here. It was within the walls of the Bateau-Lavoir that Picasso created the Demoiselles d'Avignon, which launched the Cubist movement.

Off the Rue Norvins, a wild garden has created a verdant screen hiding the ateliers of the Cité des Artistes. Numerous painters lived at the Villa des Arts, on Rue Hégésippe-Moreau, notably Paul Signac and Paul Cézanne. The artists' center "Montmartre aux Artistes" was built on the Rue Ordener in the 1930s. Its beautiful brick façade is pierced with vast stretches of glass panes.

La "Cité des Artistes",
entre les rues Norvins,
de l'Abreuvoir et
Girardon.

*Artists' Center, between
Rue Norvins, Rue de
l'Abreuvoir, and Rue
Girardon.*

La maison de Mauric[e] Neumont, place du Calvaire.

The house of Maurice Neumont, Place du Calvaire.

L'atelier d'Utrillo, dans le jardin du musée de Montmartre, rue Cortot.

Utrillo's painting studio, in the garden of the Montmartre Museum, Rue Cortot.

La cité "Montmartre
aux Artistes", rue Ordener.

*Artists' Center "Montmartre
aux Artistes," rue Ordener.*

L'atelier de Toulouse-Lautrec,
à l'angle de la rue Caulaincourt
et de la rue Tourlaque.

*Toulouse-Lautrec's studio,
at the corner of Rue Caulaincourt
and Rue Tourlaque.*

Le musée de Montmartre,
Rue Cortot.

*The Montmartre Museum,
Rue Cortot.*

Le jardin du musée de Montmartre.
The garden of the Montmartre Museum.

Souvenirs, souvenirs

Montmartre héberge quatre musées : proche de la place du Tertre, à l'emplacement de l'ancien Historial de Montmartre, se trouve l'espace Dali-Montmartre ; la halle Saint-Pierre abrite le musée d'art naïf Max-Fourny ; le musée de l'Érotisme a ouvert ses portes en 1998 sur le boulevard de Clichy ; rue Cortot, enfin, loge le musée de Montmartre, qui a le privilège d'être installé dans la plus ancienne maison de Montmartre qui fut celle de Rosimond, un acteur de la troupe de Molière. L'endroit accueillit de nombreux artistes jusqu'au milieu du XXᵉ siècle, et non des moindres : Auguste Renoir, Suzanne Valadon, Maurice Utrillo, Raoul Dufy… séjournèrent et travaillèrent dans ce lieu enchanteur.

Monuments of memory

Montmartre boasts four museums. Just off the Place du Tertre, on the site of the former Historial de Montmartre, is the Espace Dali-Montmartre. The Halle Saint-Pierre houses the Max Fourny Museum of Naïve Art. The Museum of Eroticism on the Boulevard Clichy opened its doors in 1998. And at 12, rue Cortot, is the Montmartre Museum which has the privileged distinction of occupying the oldest house in Montmartre, once home to Rosimond, an actor in Molière's troupe. This house welcomed numerous artists until the middle of the 20th century. Auguste Renoir, Suzanne Valadon, Maurice Utrillo, and Raoul Dufy lived and worked in this enchanting place.

Le musée d'art naïf Max-Fourny
dans la halle Saint-Pierre.
*The Max Fourny Museum of Naïve Art
in the Halle Saint-Pierre.*

Musée de l'Érotisme,
boulevard de Clichy.
*Museum of Eroticism,
Boulevard de Clichy.*

L'espace Dali-Montmartre, rue Poulbot.

À La Bonne Franquette, rue des Saules.

L'âme de la Butte...

Étaient-ils visités par une géniale prémonition ou tout simplement de bonne composition, ces restaurateurs et tenanciers de bars qui acceptaient sans trop maugréer que leurs clients déshérités – des inconnus nommés Van Gogh, Utrillo ou Picasso – règlent leur ardoise par quelques dessins ou tableaux ? Cette époque est révolue mais il en reste des lieux fort agréables : le Vieux Chalet est aussi charmant côté jardin que côté salle ; la Pomponnette, voisine de la maison où vécut Van Gogh, a presque des allures de musée avec ses murs décorés de photos anciennes ou de dessins de Poulbot et de Willette ; la Bonne Franquette ouvre toujours sa grande salle campagnarde et son jardin qui inspira à Van Gogh sa *Guinguette à Montmartre*... D'autres, comme À la Mère Catherine, témoignent encore de la légendaire bonne humeur montmartroise.

Historic restaurants – the soul of the butte

Was it foresight or simply hospitality that spurred restaurateurs and bar owners to accept drawings and paintings as payment from their destitute artist clientele? Unknown artists like Van Gogh, Utrillo, and Picasso paid for meals and drinks by shuffling off some of their works of art.
Those days are long gone, but the establishments are all the more interesting. The Vieux Chalet is equally charming inside as garden-side. La Pomponnette, located beside the house where Van Gogh lived, is practically a museum.
Its walls are covered with old photographs and drawings by Poulbot and Willette. At La Bonne Franquette, the large dining hall and garden still retain the decor immortalized by Van Gogh. Other establishments like À la Mère Catherine testify to the still legendary good humor of Montmartre residents.

Décoration sur carrelage
du Lux Bar, rue Lepic.
*Tile décor in the Lux Bar,
Rue Lepic.*

Le Vieux Chalet, rue Norvins.

À la Mère Catherine, place du Tertre.

Conception graphique : Isabelle Chemin
English adaptation by David W. Cox

Achevé d'imprimer en juin 2006
sur les presses de l'imprimerie Escourbiac, à Graulhet
Dépôt légal : avril 2002
ISBN 10 : 2-840-96255-1
ISBN 13 : 978-2-840-96255-7